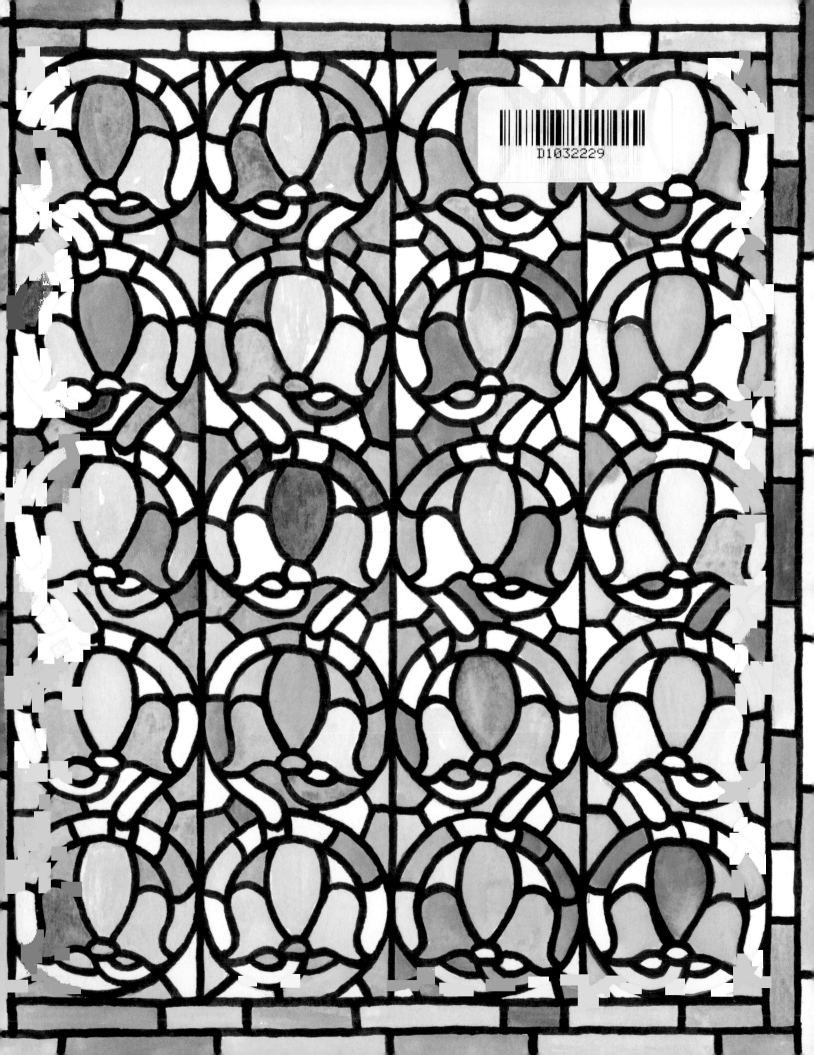

De Fabian Grégoire
chez Archimède – *l'école des loisirs*:
«CHARCOT ET SON *POURQUOI-PAS?* À la découverte de l'Antarctique»
«LES DISPARUS DE L'AÉROPOSTALE»
«LES ENFANTS DE LA MINE»
«NUIT SUR L'ETNA»
«VAPEURS DE RÉSISTANCE»

Remerciements:

À Mme Joëlle Bartez, administrateur des abbayes de Silvacane et du Thoronet.
À l'équipe des guides et au personnel d'accueil de l'abbaye.
À René Varlet, pour m'avoir fortuitement donné l'envie d'inventer cette histoire.
À Alfred Gautier et Albert Mizrahi, pour le prêt des livres.

Fabian Grégoire

LE TRÉSOR
DE L'ABBAYE

Illustrations et photos de l'auteur
Dossier page 37

ARCHIMÈDE

l'école des loisirs

11, rue de Sèvres, Paris 6ᵉ

L'histoire que vous allez lire se passe en partie au Moyen Âge. Les illustrations qui l'accompagnent proposent une reconstitution de l'abbaye du Thoronet telle qu'elle était à la fin du XIIIe siècle, en essayant de respecter ce que nous savons de cette époque.

Malheureusement, certaines informations que nous en avons font encore l'objet de débats entre historiens. Le dossier documentaire qui se trouve à la fin du livre donne une idée des problèmes soulevés par cet essai de reconstitution…

«On va suivre la visite guidée, ce sera plus intéressant pour vous!» crie Grand-Mère pour couvrir le vacarme que fait sa vieille voiture.

«La barbe! murmure Antoine. Ça va être mortel…

– Dire qu'on aurait pu aller à la plage!» ajoute Justine.

L'automobile se tord en grinçant dans les virages.

«Si ça continue, je vais vomir!» songe la fillette.

La forêt déserte file derrière les vitres de la 2CV…

«On arrive, les enfants! Regardez: voici le clocher de l'abbaye, juste en face de nous.

– Génial», soupire Antoine en contemplant ses orteils.

«Soyez les bienvenus à l'abbaye du Thoronet! Je vous propose
de commencer la visite par l'extérieur de l'église, et d'abord
côté soleil levant, pour mieux comprendre l'orientation
du monastère.
– Elle est archinulle, cette guide!» grogne Antoine.

Un peu en arrière, sa sœur traîne les pieds: «J'ai soif»,
songe-t-elle en cherchant du regard le distributeur
de boissons fraîches.

Grand-Mère, elle, écoute le commentaire.

«L'abbaye a été fondée par des moines cisterciens
vers 1150. Seuls les religieux avaient le droit
d'y pénétrer: l'accès en était interdit aux visiteurs.
Nous avons de la chance de pouvoir y entrer
aujourd'hui…
– Tu parles!» souffle Antoine.

«Nous voici dans l'église où les moines venaient prier. La première prière du jour s'appelait les *matines*. Elle avait lieu vers minuit. Il y avait ensuite les *laudes*, vers trois heures du matin; la *prime*, vers six heures…

— … Mais toujours pas de buvette!» laisse échapper Justine.

La guide s'interrompt, et regarde les enfants: «Ça ne vous intéresse pas, ce que je dis?»

Le frère et la sœur ne savent pas quoi répondre.

«Bon, puisque vous êtes les seuls visiteurs, et que vous m'avez l'air bien fatigués, je vais plutôt vous raconter une histoire… Si votre grand-mère est d'accord, bien sûr.

— C'est vous le chef, Madame, répond Grand-Mère avec un sourire.

— Alors, je vous propose d'aller dans le cloître. Nous y serons plus à l'aise…»

Quelques instants plus tard, les trois visiteurs s'installent face à leur guide.

«Nous nous trouvons ici devant l'*armarium*», explique la jeune femme.

Les regards se tournent vers la petite pièce toute sombre que l'on devine derrière un portail de pierre.

«Vous avez fait du latin? demande la guide.

— C'est la langue que parlaient les Romains! s'exclame Justine.

— Tu as raison. Mais les moines l'ont encore utilisée, bien après la disparition des Romains.

— Et qu'est-ce que ça veut dire *armarium*?

— Ah, ça… pour l'instant, c'est un secret. Tout ce que je peux vous dire, c'est qu'ici on cachait le trésor le plus précieux de l'abbaye.»

Antoine dresse l'oreille.

«Si vous voulez savoir quel était ce trésor, vous allez devoir remonter le temps… Vous allez devoir imaginer que nous sommes au Moyen Âge, en 1293 exactement. C'est l'époque des châteaux forts et des chevaliers.»

Justine et Antoine ont fermé les yeux.

«En ce temps-là, il y avait près de quatre-vingts frères dans l'abbaye. Un tiers était des moines: ils passaient leurs journées à prier. Les autres, on les appelait des *convers*. Ils étaient chargés de cultiver la terre, d'élever le bétail, d'entretenir les bâtiments…»

«L'un de ces convers exerçait la fonction de portier, installé dans sa loge de la porterie. C'est par ce bâtiment que l'on entrait dans l'enceinte de l'abbaye. Lorsque le passage était ouvert, le frère portier s'assurait qu'aucun intrus ne franchissait le seuil. Comme vous l'avez vu en arrivant, l'abbaye est très isolée. Et, à cette époque, les bandits étaient nombreux… Il fallait être prudent.»

«La paix soit avec vous, frère portier !
– Dieu vous bénisse, messire…»

Voilà justement qu'un cavalier approchait, accompagné d'un jeune garçon monté sur un âne.

«Je suis maître Albéric de Salagon, expliqua-t-il, et voici mon écuyer Ernaud. Nous demandons l'hospitalité pour cette nuit.»

Les cisterciens avaient pour règle d'abriter les voyageurs qui cherchaient un lieu sûr pour dormir.

«Mes frères et moi sommes heureux de vous recevoir, répondit le portier. Messire l'abbé est justement à la porterie… Il sera honoré de vous accueillir lui-même en nos murs.»

Les deux voyageurs franchirent le passage voûté, et s'arrêtèrent devant l'abbé. Celui-ci fit quelques signes du bout des doigts, tout en marmonnant un peu de latin.

«La paix soit avec vous, messire l'abbé. Je suis Albéric de Salagon, et voici mon élève et écuyer Ernaud.

– Ce garçon a le regard vif! Ce doit être un fort bon élève…

– En effet, messire l'abbé. Mais il est encore jeune, la jeunesse n'est pas parfaite…

– Rien n'est parfait en ce monde, mon fils. Et c'est à nous de guider cette jeunesse.»

Maître Albéric mit pied à terre, imité par Ernaud.

«Albéric de Salagon… Seriez-vous originaire de nos montagnes?» demanda l'abbé.

Le cavalier sembla hésiter, puis répondit: «Pas du tout, messire l'abbé… Mes ancêtres vivaient dans le sud de la Castille.

– Ah, la Castille!… Les chemins de Saint-Jacques… Que de souvenirs! Mais, dites-moi, maître Albéric, aimeriez-vous assister aux vêpres?»

Vêpres était le nom que l'on donnait à la septième prière, qui se déroulait vers six heures du soir…

«Mais… je pensais que l'église était interdite aux visiteurs! s'étonna le cavalier.

– En effet, *c'est* notre règle. Mais je fais parfois une exception pour une personne importante. De plus, je suis sûr que ce jeune garçon serait ravi d'assister à l'une de nos messes.

– Nous vous remercions pour ce geste de confiance, nous assisterons aux vêpres», répondit maître Albéric.

Les prières étaient en latin, et Ernaud ne comprenait pas grand-chose à ce que les moines récitaient. Pourtant, il était impressionné par les chants des religieux, et par la beauté toute simple de l'église. Les paroles résonnaient et semblaient voyager d'un coin à l'autre de l'édifice. Le jeune garçon n'avait jamais entendu quelque chose d'aussi étrange…

Il ferma les yeux et se laissa bercer par la mélodie.

Maître Albéric, lui, semblait préoccupé. Il inspectait les lieux d'un regard perçant, comme s'il cherchait quelque chose…

Lorsque les vêpres furent terminées, les deux visiteurs allèrent aux cuisines prendre un bon repas. Ils gagnèrent ensuite la cellule que les moines leur avaient préparée pour la nuit.

Sitôt installé, maître Albéric, déroulant un parchemin, appela Ernaud : «C'est un plan de l'abbaye. Je veux que tu en retiennes les moindres détails. L'*armarium* se trouve ici, tu dois t'y introduire coûte que coûte !

— Et par quel moyen ? demanda Ernaud.

— Bonne question ! La nuit, toutes les portes de l'abbaye sont verrouillées. Tu passeras donc par les toits… C'est pour ça que je t'ai choisi : tu es agile comme un écureuil, ça te sera facile.

— Mais… si je n'y arrive pas ? bredouilla l'enfant.

— Alors inutile de revenir me voir», grogna Albéric.

Depuis qu'il était avec le maître, Ernaud avait toujours mangé à sa faim. L'idée de se retrouver à nouveau seul sur les routes le terrifia. Réprimant un frisson, il se pencha sur le plan.

«Et n'oublie pas : je veux le *Codex Aureus*, pas autre chose ! Prouve-moi que je n'ai pas perdu mon temps en t'apprenant à lire», conclut Albéric de Salagon.

C'est ainsi que, vers quatre heures du matin, une petite silhouette se glissait sur les toits de l'église.

Ernaud avançait d'un pas souple, une corde à l'épaule, et tenant à la main une boîte garnie d'une poignée.

« Surtout, ne pas faire de bruit », songeait le garçon avec inquiétude.

Il passa de toit en toit, pour s'approcher du cœur de l'abbaye…

Arrivé sur une sorte de terrasse, il déroula la corde. À l'aide d'un petit grappin de fer, il la fixa à une corniche, puis il noua la petite boîte à l'autre extrémité…

«J'espère que ça va tenir», murmura l'enfant.

Il se pencha sur le vide et fit descendre son filin le long du mur.

«Ça fait une sacrée hauteur, tout de même», songea-t-il en remarquant que la boîte n'atteignait pas le sol.

Il sentait fondre son courage, mais les menaces de maître Albéric lui revinrent à l'esprit…

Il empoigna la corde à deux mains et commença à descendre.

Quelques mètres plus bas, la boîte se balançait. Elle faillit plusieurs fois cogner la muraille, mais par chance, cela n'arriva pas.

Ainsi, quelques instants plus tard, Ernaud retrouvait la terre ferme…

Le garçon se trouvait dans le cloître, sorte de cour intérieure garnie d'un jardinet. Ce jardinet était entouré d'une galerie couverte. C'est par cette galerie que les moines se rendaient d'un endroit à l'autre de l'abbaye. Mais à cette heure de la nuit, elle était déserte.

« Ils dorment tous à poings fermés », se dit Ernaud pour se rassurer.

Il repoussa sa corde dans un coin du mur pour la cacher et se dirigea vers l'*armarium*…

À peine avait-il fait trois pas qu'un long grincement se fit soudain entendre juste derrière lui.

Il se retourna et vit une lueur apparaître dans un angle de la galerie…

Le cœur battant, il s'engouffra dans un étrange petit édifice qui se dressait près de lui…

Le lieu abritait une fontaine : Ernaud s'accroupit derrière celle-ci, prêt à s'enfuir s'il était repéré…

Un claquement de sandale se rapprochait, et bientôt, la flamme d'une bougie dessina des ombres sur les murs. Un moine était là, tout près !

Ernaud se fit encore plus petit…

Mais déjà, la silhouette s'éloignait. Un autre grincement se fit entendre, et la lueur disparut.

Ernaud se redressa. « Je l'ai échappé belle ! » murmura-t-il.

Tenaillé par la peur, il n'avait pas prêté attention au clapotis de la fontaine. Il plongea la main dans le bassin, et se passa un peu d'eau sur le visage.

« Pas de temps à perdre : direction l'*armarium* ! »

Il contourna la fontaine, et gagna la galerie de pierre…

Le clair de lune éclairait la galerie. Tout en avançant, Ernaud revoyait le plan de maître Albéric. «Si ma mémoire est bonne, l'*armarium* se trouve au bout de ce couloir, entre les deux escaliers.»

En effet, entre les deux volées de marches, une double porte se dressait, de part et d'autre d'une colonne de pierre.

«M'y voilà!» murmura le garçon.

Après avoir vérifié que les deux entrées étaient verrouillées, Ernaud étudia les lieux :
«Maître Albéric avait raison, il y a une ouverture au-dessus de la porte.»

Comment son maître pouvait-il connaître ce détail ? Peu importe. L'essentiel était d'arriver à se hisser jusqu'à cette ouverture.

La poignée de sa boîte entre les dents, Ernaud, suspendu à la corniche, progressait vers l'ouverture. D'abord une jambe, puis la deuxième. Bientôt il disparut à l'intérieur de l'*armarium*.

Dans le noir le plus complet, il se laissa tomber au sol.

À tâtons, il sentit qu'il avait atterri sur du carrelage. Il posa sa boîte, et ouvrit un petit volet. La lumière d'une flamme jaillit dans l'obscurité.

«Ouf! Elle ne s'est pas éteinte», s'exclama l'acrobate. Il se tourna alors vers l'intérieur de la pièce…

Des livres ! Des dizaines et des dizaines de livres étaient empilés sur des étagères de bois.

C'était la première fois de sa vie qu'Ernaud entrait dans une bibliothèque : jamais il n'avait vu autant de volumes rassemblés en un même endroit…

Sur un meuble un peu bizarre, un ouvrage était grand ouvert… Poussé par la curiosité, Ernaud s'approcha pour en tourner les pages.

Elles étaient couvertes d'enluminures, dessins multicolores décorant le texte…

« C'est merveilleux ! » laissa échapper l'enfant.

Puis il se rappela sa mission : il devait trouver le livre que son oncle lui avait ordonné de voler : le *Codex Aureus* !

Il décida de sortir les livres par piles entières, sans prendre la peine de les remettre en place au fur et à mesure… Et bientôt, il se retrouva au cœur d'une belle pagaille. L'inquiétude commençait à le gagner : il y avait tant d'ouvrages ! Comment trouver le bon ?

Une grande reliure attira son attention : elle était de bois et de cuir, et comportait cinq petits pieds en métal qui servaient à soutenir le livre lorsqu'on le posait à plat dans une pile…

« C'est lui ! C'est le *Codex Aureus* ! » s'exclama Ernaud en lisant le titre sur la couverture.

Une joie l'envahit. Maître Albéric serait content ! Il ne l'abandonnerait pas sur les routes…

Sans perdre une seconde, le garçon prit le livre sous son bras et se dirigea vers les portes. Par chance, les verrous s'ouvraient de l'intérieur. Il souffla sa bougie, et abandonna sa petite lanterne dans l'*armarium*. Quelques instants plus tard, il marchait à nouveau dans la galerie…

C'est alors que les ennuis commencèrent. En arrivant à la corde, Ernaud comprit qu'il lui serait impossible d'escalader la muraille avec le *Codex* sous le bras…

Pendant un moment, il songea à regagner les toits sans son butin. Mais il savait trop bien que son avenir dépendait du livre…

Une seule solution : trouver un autre itinéraire pour sortir du cloître.

Ernaud fit le tour de la galerie. Malheureusement, toutes les portes semblaient verrouillées. Enfin, presque toutes : dans le couloir côté nord, l'une d'elles accepta de s'ouvrir.

«Pourvu qu'elle ne grince pas», pria l'enfant en poussant le panneau de bois.

Il y avait de la lumière dans la pièce. Prudemment, Ernaud passa la tête par l'ouverture…

Elle donnait sur une vaste salle, où s'alignaient des pupitres. Malgré l'heure matinale, un jeune moine était déjà au travail.

«Je suis dans le *scriptorium*!» songea Ernaud en se remémorant le plan de maître Albéric.

C'était l'atelier où les moines recopiaient les livres. Ils copiaient des ouvrages religieux, mais aussi des textes de poésie, d'astronomie, d'histoire… Ils traduisaient des livres grecs et arabes. Les ouvrages copiés étaient vendus, ou allaient enrichir l'*armarium* de l'abbaye.

Un pinceau à la main, le moine recopiait avec soin le livre qui était ouvert devant lui. Il avait à sa disposition toute une série de petits outils ainsi que des pots garnis d'encres de couleur. Une lampe à huile l'éclairait.

«Ce n'est pas par là que je pourrai sortir», se dit Ernaud.

Il referma la porte. Le moine, absorbé par son travail, n'avait même pas remarqué ce curieux visiteur.

Ernaud était de plus en plus nerveux : «Le dortoir des moines ! C'est la seule solution !»

Du cloître, un escalier montait vers la salle où dormaient les moines. De là, il pourrait rejoindre la terrasse qui surplombait le cloître. C'était risqué, mais il n'avait plus d'autre choix.

Il suivit donc la galerie jusqu'au pied de l'escalier. Le ciel commençait à se teinter à l'est. Il ne fallait plus tarder. Serrant le grand livre contre sa poitrine, le garçon se mit à gravir les marches…

L'escalier débouchait au milieu du dortoir. Les moines dormaient, des ronflements s'élevaient çà et là…

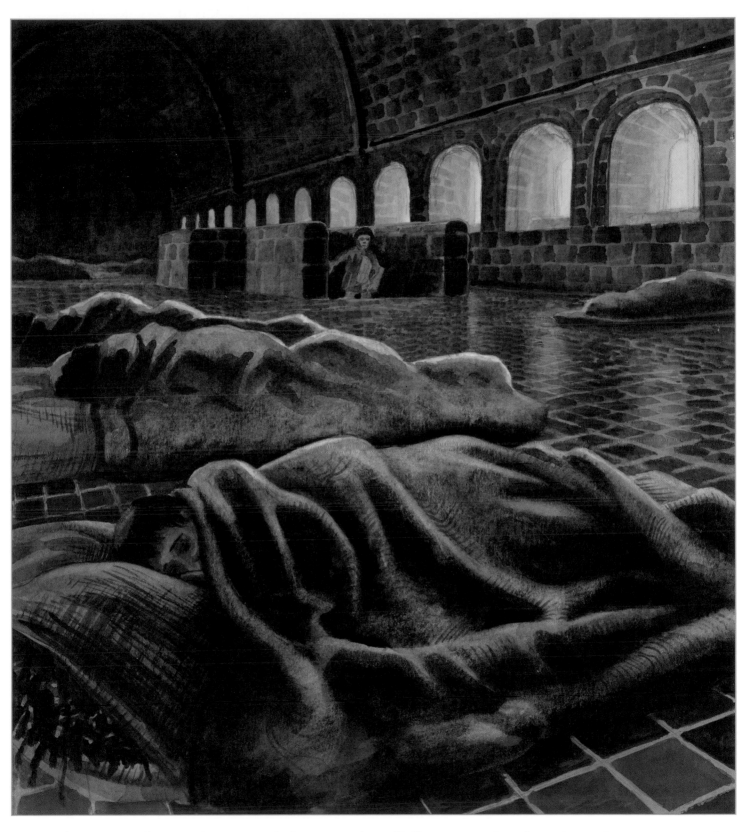

Sur la pointe des pieds, Ernaud s'avança dans l'allée centrale. Il avait vu juste : une petite porte s'ouvrait sur les toits. Mais pour l'atteindre, il fallait se faufiler entre les paillasses. Le cœur battant, le garçon progressait vers la porte, lorsque soudain…

«DING ! DONG !... DING-DONG !...»

La cloche ! La cloche qui sonnait le réveil pour la prière de *prime*…

Ernaud se sentit perdu ! La panique le clouait sur place.

C'est un cri qui lui rendit sa mobilité.

«Hé, toi ! Qu'est-ce que tu fiches ici ?»

Tentant le tout pour le tout, il s'élança vers la lumière et franchit d'un bond les trois marches qui le séparaient de la terrasse.

«Au voleur ! Au voleur !» criaient les religieux, voyant le livre qu'emportait le garçon.

Mais Ernaud était déjà loin.

Il courait à perdre haleine, les moines sur les talons.

«Attrapez-le ! Il a volé un de nos livres», hurlait
une voix.

Arrivé au bout de la terrasse, Ernaud lança le *Codex*
vers les toits, sur lesquels il se hissa avec agilité.

Les moines tentèrent de l'attraper par les chevilles,
mais le garçon bondissait déjà vers le clocher.
Il fut bientôt hors de vue…

Passant de toit en toit, Ernaud rejoignit son point de départ…

Il savait qu'un tas de paille l'attendait au pied du mur par lequel il était monté. Sans hésiter, il se jeta dans le vide. Hélas, des moines eux aussi l'attendaient en bas, tapis dans l'ombre…

«Terminé, mon garçon ! Tu n'iras pas plus loin…»

Les religieux encerclaient Ernaud. L'un d'eux lui arracha le livre.

«C'est le *Codex Aureus* !» s'exclama-t-il, abasourdi.

«Prévenez immédiatement messire l'abbé ! fit un autre. Et allez chercher le maître de ce garçon !

— Il faut réunir le chapitre !» ajouta un troisième.

Le plus costaud saisit Ernaud par le poignet et le tira hors de la paille : «Tu vas venir avec nous, petit ! Les frères du Thoronet vont décider de ton sort…»

L'enfant éclata en sanglots. Il avait échoué : maître Albéric ne voudrait plus de lui. Désespéré, il se laissa emmener dans l'église…

Il y resta une bonne heure, sous la surveillance d'un convers au regard sévère. Puis un moine vint le chercher pour le conduire devant le chapitre…

Le chapitre rassemblait l'ensemble des moines chaque matin, ou lorsqu'une situation exceptionnelle l'exigeait… Il y avait pour cela une salle spéciale dans l'abbaye : la salle capitulaire.

Lorsque Ernaud y pénétra, tous les frères avaient été mis au courant du vol. Ils avaient déjà discuté de l'affaire et décidé de la sanction que le garçon devrait subir…

Assis sur un imposant trône de bois, l'abbé présidait la séance :

« Mon garçon, tu as tenté de dérober un livre appartenant à notre abbaye. C'est un geste gravissime, et qui m'a personnellement déçu. Toutefois, je devine que ce n'est pas toi qui as eu cette idée. Ton maître s'est sauvé, il a sauté par-dessus l'enceinte de l'abbaye, au moment où tu te faisais attraper.

— Maître Albéric est parti ? marmonna Ernaud.

— En effet ! Il t'a abandonné, et si tu veux mon avis, Albéric de Salagon ne mérite pas d'être appelé *maître* ! »

Les larmes coulaient sur les joues du garçon.

« Il y a maintenant deux solutions, reprit l'abbé. Soit, je te livre au seigneur de Lorgues, qui fera de toi ce qu'il voudra. Ou alors…

— Ou alors ? murmura Ernaud apeuré.

— Ou alors, tu restes à l'abbaye pour nous aider dans nos travaux. Tu seras logé et nourri, et tu aideras le frère bibliothécaire à remettre de l'ordre dans notre *armarium*. C'est à toi de décider. »

« Et alors ? interroge Justine.

— Alors ? Ernaud est resté à l'abbaye du Thoronet. Et lorsqu'il a eu l'âge de le faire, il a prononcé ses vœux, explique la guide.

— Vous voulez dire qu'il s'est fait moine ?

— C'est bien ça.

— Et Albéric de Salagon ? demande Antoine.

— Personne n'en a plus jamais entendu parler.

— C'était un voleur ?

— Un voleur, et un trafiquant de livres… Il y en avait beaucoup au Moyen Âge.

— Des livres, ce n'est pas terrible, comme trésor ! estime Antoine.

— Tu oublies qu'à l'époque, ils étaient écrits à la main ! Ils étaient donc rares et précieux. Certains demandaient plusieurs années de travail…

— C'était le cas du *Codex Aureus* ?

— Probablement… *Codex Aureus* veut dire *Livre Doré*. Il devait donc valoir une fortune…

— Et où se trouve-t-il, aujourd'hui, ce *Livre Doré* ? demande Antoine, les yeux pétillants.

— Malheureusement pour toi, il n'existe plus ! répond la guide avec un sourire. Il a brûlé dans un incendie, avec tous les autres livres de l'abbaye… »

Antoine soupire.

«Ça en aurait fait des euros !

— C'est sans doute vrai. Mais songe surtout que certains de ces livres étaient uniques, et que les textes qu'ils contenaient ont été perdus pour toujours.

— Comment ça ?

— Mais oui ! explique la guide. Aujourd'hui, les livres sont imprimés à des milliers d'exemplaires. Il y a peu de chances que tous ceux-ci disparaissent. Mais quand un livre est unique, s'il est détruit, c'est fini. On perd à jamais les informations qu'il contenait…

— On ne peut rien faire pour protéger ce genre de livre ? demande Justine. On ne peut pas les mettre dans un coffre-fort ?

— Même dans un coffre-fort, tu n'es pas sûre que quelqu'un ne viendra pas le détruire. Non, le meilleur moyen, ce sont les moines qui l'avaient trouvé : en faisant des copies, ils diminuaient les risques de voir un livre se perdre. C'est grâce à eux que nous possédons aujourd'hui des textes vieux parfois de près de trois mille ans.

– C'est pour ça que vous parliez du trésor de l'abbaye, caché dans l'*armarium*! s'exclame Antoine, tandis que le groupe retourne vers la porterie.

– Tu as compris. Dans les livres, il y a toujours un peu de notre histoire à tous. C'est pour ça qu'il faut prendre soin d'eux…»

Les visiteurs remercient la guide, et regagnent le parking de l'abbaye.

Et lorsque la voiture de Grand–Mère démarre, Justine s'écrie: «Dis Mémé, il n'y aurait pas une bibliothèque, dans le coin?…»

Dès l'apparition de la religion chrétienne, certains disciples ont souhaité vivre à l'écart du monde, pour consacrer leur vie à la prière. Ces hommes (moines) et ces femmes (moniales) se sont souvent rassemblés pour former des groupes plus ou moins importants. Ils choisissaient un lieu, généralement reculé, pour y installer leur monastère.

Le monastère est une sorte de petit village organisé autour d'une église. Les moines y produisent eux-mêmes leur nourriture : ils cultivent des fruits et des légumes, élèvent des troupeaux… Ils disposent d'une ou plusieurs sources d'eau potable, et de forêts pour y couper le bois dont ils ont besoin. En principe, ils peuvent vivre sans aucun contact avec l'extérieur.

Les premiers moines sont apparus en Égypte plusieurs années après la mort de Jésus-Christ. Mais il faut attendre le VIe siècle pour qu'un Italien, Benoît de Nursie, définisse une manière de vivre précise, qui sera adoptée par presque tous les monastères de la chrétienté. Pour organiser la vie de son groupe, il rédige une liste de principes que tous s'enga-

saint Benoît

gent à respecter. Cette liste est si bien faite qu'elle connaît un succès énorme. Partout, on adopte la Règle de saint Benoît…

La Règle de saint Benoît prévoit que les moines élisent un chef : l'abbé (c'est lui qui va diriger l'abbaye). Ils doivent se rassembler plusieurs fois par jour dans l'église, pour prier. Ils ne peuvent pas parler en dehors de la salle capitulaire. Ils doivent manger ensemble, travailler, dormir dans la même salle, accueillir les voyageurs qui le demandent… Tous les gestes de la vie courante doivent obéir à la Règle !

Saint Benoît va ainsi donner son nom au plus important ordre monastique : les bénédictins (de *Benedictus*, Benoît en latin).

Leur plus célèbre abbaye est fondée à Cluny, en Bourgogne, au début du Xe siècle. Comme elle prospère rapidement et que les richesses s'accumulent, les bénédictins décident de construire d'autres monastères, qui seront un peu les enfants de Cluny. Deux cents ans plus tard, on en compte huit cent quinze rien qu'en France.

Ce succès ne plaît pas à tous : l'argent et le pouvoir éloignent les bénédictins des principes de la Règle… Il faut réagir !

En 1098, un nouveau monastère voit le jour à Cîteaux, près de Dijon. Il est fondé par Robert de Molesme, un abbé qui veut revenir à la simplicité édictée par saint Benoît. C'est la naissance d'un nouvel ordre (une famille de moines) : les cisterciens (de Cîteaux). Le succès n'est pas immédiat. C'est le quatrième abbé, Bernard de Fontaine, qui va

donner son véritable essor à la communauté, en rendant la Règle encore plus sévère…

Les abbayes se multiplient enfin. À sa mort, en 1153, elles sont déjà trois cents.

Mais bientôt, le pouvoir et la richesse font à nouveau oublier les principes. Les cisterciens suivent la même voie que les moines de Cluny : la Règle est de moins en moins respectée…

Ce sont d'autres ordres qui continueront cette recherche de la simplicité : les chartreux (de la vallée de la Chartreuse, près de Grenoble), les franciscains (disciples de saint François), les moines de Grandmont et de Fontevrault…

Mais dans certains monastères du Moyen Âge, on trouvait des moines très différents, comme les hospitaliers et les templiers, qui défendaient la religion l'épée à la main.

De nos jours, moines et moniales sont bien moins nombreux. Beaucoup de monastères ne sont plus occupés par les ordres religieux : ils sont devenus des lieux de promenades que l'on visite en famille.

Robert de Molesme, abbaye de Vyssi Brod, République tchèque

© photo : Henri Gaud « Les Abbayes cisterciennes » Éditions Place des Victoires 1998 Paris

C'est au XIIe siècle que des moines cisterciens décident de s'installer en Provence. Ils y fondent six abbayes : Sénanque, Silvacane, Le Thoronet (que l'on appelle « les trois sœurs »), et Silveréal, Ulmet et Valsainte (qui sont aujourd'hui en ruine).

L'abbaye du Thoronet se trouve au cœur d'une forêt, sur le territoire de l'actuel département du Var. Les moines ont choisi ce site reculé en raison de la présence d'une source importante, et de plusieurs ruisseaux.

On sait peu de chose sur la construction des bâtiments. Les historiens pensent qu'elle débute vers 1160 et se pro-

longe jusqu'en 1190. L'église (dans une abbaye, elle porte le nom d'*abbatiale*) est construite avec beaucoup de soin. Les moines attachent une importance particulière à la façon dont leurs chants vont résonner à l'intérieur de l'édifice. Sans que l'on sache très bien comment ils ont fait, les bâtisseurs se sont débrouillés pour que le moindre son soit amplifié au maximum par la forme de l'église. La manière dont les sons se déplacent (l'acoustique) est parfaitement adaptée aux chants de l'époque : les chants grégoriens (tous les moines chantent le même air en même temps, sans aucun instrument). L'abbaye du Thoronet présente l'une des meilleures acoustiques au monde pour ce type de musique…

Au Moyen Âge, les ressources du monastère sont constituées par l'élevage des moutons et des chèvres, et par la culture de la vigne et de l'olivier. Il possède de nombreuses terres dans toute la région, ainsi que des salins en bord de mer.

La période de prospérité du Thoronet est assez courte. Dès le XVe siècle, les finances des moines semblent mal en point. Les abbés qui se succèdent semblent peu intéressés par le sort de l'abbaye : les bâtiments se délabrent.

Au XVIe siècle, ce sont les guerres de religion entre catholiques et protestants qui causent d'autres dégâts : l'abbaye est désertée pendant un temps, et ses archives brûlent

entièrement dans l'incendie du château de Carcès, où les moines les avaient mises à l'abri…

Durant les deux siècles suivants, l'abbaye continue de se délabrer. Ce n'est qu'au XVIIIe que des travaux sont enfin entrepris. Hélas, ils consistent à transformer l'intérieur de l'église, en la décorant selon la mode du moment : peintures murales, sculptures, boiseries dorées… À l'extérieur, on plante une allée de marronniers, et l'on construit des fontaines.

Et voilà la Révolution… Le 1er janvier 1791, les sept derniers moines quittent définitivement l'abbaye. L'église et le cimetière deviennent propriété de l'État, les autres bâtiments sont vendus à des particuliers, qui démolissent petit à petit les murs pour réutiliser les pierres !

de la destruction de vestiges archéologiques…

Enfin, dans la deuxième moitié du XXe siècle, l'exploitation de mines et de carrières à proximité du monastère cause l'assèchement de la source et des ruisseaux. Un important glissement de terrain menace même de détruire

Heureusement, en 1840, l'abbaye est classée monument historique. L'État rachète le cloître et l'aile des moines, qui abrite la salle capitulaire, l'armarium et le dortoir.

Enfin, des travaux de restauration commencent, rendus difficiles par l'absence d'archives. Certaines restaurations sont critiquées, et dans certains cas, elles sont responsables

l'abbaye ! Des travaux coûteux doivent être réalisés pour éviter l'effondrement.

De nos jours, des capteurs fonctionnent en permanence pour vérifier que plus rien ne bouge dans le sous-sol du Thoronet…

Comme Justine et Antoine l'ont appris dans cette histoire, les livres au Moyen Âge étaient des objets précieux. Jusqu'à l'invention de l'imprimerie, vers 1460, tous les livres sont écrits à la main… Pour écrire, le copiste utilise généralement une plume d'oiseau, dont il taille la pointe. Il fabrique ses encres avec des végétaux, des oxydes de métaux ou des poudres de roche.

Mais c'est surtout l'enlumineur qui s'intéresse aux

Heureusement, un nouveau support fait son apparition : le parchemin ! Le parchemin est fabriqué à partir de peaux d'animaux, préparées selon une technique longue et compliquée. Son principal intérêt est d'être souple : en pliant une grande peau, on obtient des feuillets successifs. Une fois recoupés et cousus ensemble, ces feuillets forment une liasse de pages. L'objet ainsi obtenu est baptisé codex : c'est ce que nous appelons aujourd'hui un livre.

Parchemin enluminé de l'ouvrage de Guillaume Budé «De l'institution du prince» dédié au roi François Iᵉʳ, réalisé pour lui vers 1517.
Dans l'image à gauche en bas on voit le roi avec l'auteur et en haut l'auteur en train d'écrire son livre. Bibliothèque de l'Arsenal.

encres : il cherche toujours des couleurs plus belles pour décorer les pages. L'enluminure peut être un petit motif coloré, ou au contraire une grande peinture qui occupe toute la feuille ! En même temps, ces dessins apportent parfois une explication, ou un avis sur le texte.

Jusqu'au Xᵉ siècle, on écrit surtout sur des papyrus, comme les Égyptiens. À cette époque, les textes sont copiés sur des rouleaux, que l'on déroule d'une main et que l'on roule de l'autre, au fur et à mesure de sa lecture. Ce n'est pas très pratique !

Dès lors, la majorité des textes sont copiés sous forme de codex. Les bibliothèques commencent à ressembler à celles d'aujourd'hui… Seule grande différence : les livres ne sont pas debout sur la tranche, mais posés à plat les uns sur les autres. De petits pieds fixés sous les couvertures permettent à l'air de circuler entre les ouvrages. C'était peut-être

Psautier, parchemin, XIIIᵉ siècle.
Bibliothèque nationale

pour éviter l'excès d'humidité et les moisissures dans des bibliothèques qui n'étaient généralement pas chauffées…

Mais le parchemin présente encore un gros inconvénient : son prix élevé. Une nouvelle invention va régler ce problème : le papier. Apparu en Chine vers 105 après Jésus-Christ, il arrive enfin en Europe. Son coût très faible lui permet de se généraliser rapidement à partir du XIIIe siècle… Le livre tel que nous le connaissons est né !

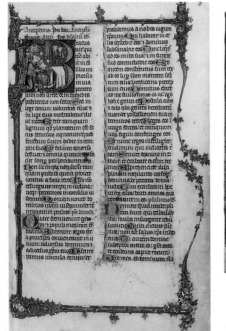

Ci-contre et ci-dessus : Livre liturgique byzantin sur parchemin de 1178, manuscrit grec d'une grande rareté.

Ci-contre : bréviaire de Philippe le Bel, illustré dans l'entourage de Maître Honoré, XIIIe siècle, Bibliothèque nationale, Paris.
Ci-dessus : l'un des plus anciens codex conservés dans une bibliothèque française (Lyon). Ve-VIe siècle.

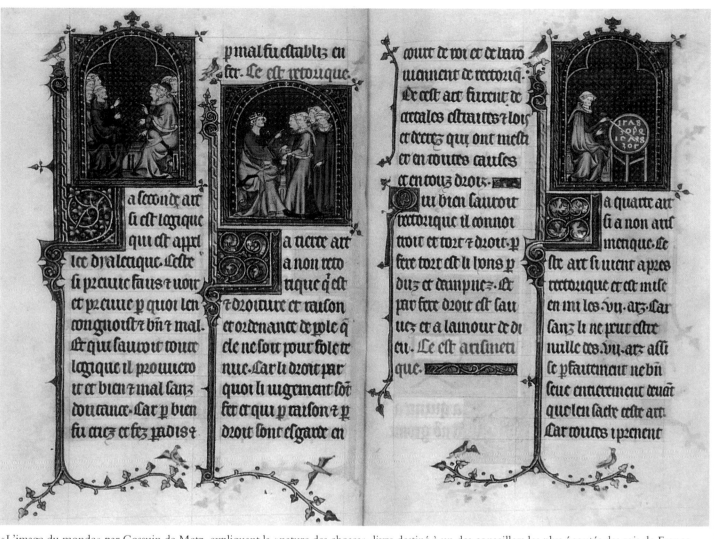

«L'image du monde» par Gossuin de Metz, expliquant la «nature des choses», livre destiné à un des conseillers les plus écoutés des rois de France, Guillaume Flote, fait à Paris au XIIIᵉ siècle, Bibliothèque nationale, département des manuscrits français, Paris.

Au Moyen Âge, les voleurs de livres sont une calamité. On vole pour revendre et se faire de l'argent, ou pour le plaisir de posséder un bel objet. Pour certains, c'est l'envie d'accéder à des textes inconnus ou rares. Il arrive aussi aux voleurs de ne dérober que certaines pages: de préférence celles qui sont enluminées… C'est d'autant plus facile que certaines bibliothèques ne sont pas surveillées, et qu'elles ne disposent même pas d'une liste des ouvrages qu'elles possèdent.

Pour effrayer les voleurs, on écrit quelques menaces à leur intention. Par exemple, dans un ouvrage d'un monastère de Barcelone, on peut lire: «*Celui qui vole, ou emprunte et ne rend pas, un livre à son propriétaire, que le livre volé se change en serpent dans sa main et le pique*»!

Mais cela ne suffit pas…

Dans certaines bibliothèques publiques, on doit attacher les livres aux pupitres avec des chaînes, pour éviter que les lecteurs ne les emportent.

«Poèmes» de Fortunat, codex doté d'une chaîne, pour dissuader les voleurs. Bibliothèque municipale d'Autun.

43

«L'un de ces convers exerçait la fonction de portier, installé dans sa loge de la porterie. C'est par ce bâtiment que l'on entrait dans l'enceinte de l'abbaye. Lorsque le passage était ouvert, le frère portier s'assurait qu'aucun intrus ne franchissait le seuil. Comme vous l'avez vu en arrivant, l'abbaye est très isolée. Et, à cette époque, les bandits étaient nombreux... Il fallait être prudent.»

Comme il est précisé au début de ce livre, la réalisation des illustrations de ce récit a soulevé beaucoup de questions. Dans certains cas, les réponses ne sont pas connues. Dans d'autres cas, ce sont les historiens qui ne sont pas d'accord entre eux.

Voici quelques exemples :

Pages 11 ← et 12 ↘

La porterie telle qu'on la voit aujourd'hui est le résultat de plusieurs restaurations. Des fouilles archéologiques ont montré que ce bâtiment a été transformé plusieurs fois au cours des XIIIᵉ et XIVᵉ siècles. Je me suis donc inspiré du tracé des fondations de cette époque pour essayer d'imaginer l'allure possible de la porterie en 1293. Par rapport à aujourd'hui, on sait qu'il y avait alors un passage piétonnier, qui était parallèle au passage principal. On voit son entrée derrière la tête du cheval d'Albéric, page 12 ↘. On accédait à ce passage par un couloir qui tournait à angle droit, dont j'ai représenté la toiture à droite du moine, page 11 ↑. Sur cette même page, le pont sur le ruisseau que l'on voit devant l'entrée n'existait pas au Moyen Âge. Le chemin longeait probablement le ruisseau vers la droite, mais j'ai appris ce détail après avoir fait le dessin...

Quant à l'aile à l'extrême gauche de la page 12, on a retrouvé ses fondations, mais on ignore quelle était son allure, et à quoi elle servait.

«La paix soit avec vous, frère portier !
– Dieu vous bénisse, messire...»
Voilà justement qu'un cavalier approchait, accompagné d'un jeune garçon, monté sur un âne.
«Je suis maître Albéric de Salagon, expliqua-t-il, et voici mon écuyer Ernaud. Nous demandons l'hospitalité pour cette nuit.»
Les cisterciens avaient pour règle d'abriter les voyageurs qui cherchaient un lieu sûr pour dormir.
«Mes frères et moi sommes heureux de vous recevoir, répondit le portier. Messire l'abbé est justement à la porterie... Il sera honoré de vous accueillir lui-même en nos murs.»
Les deux voyageurs franchirent le passage voûté, et s'arrêtèrent devant l'abbé. Celui-ci fit quelques signes du bout des doigts, tout en marmonnant un peu de latin.

Les prières étaient en latin, et Ernaud ne comprenait pas grand-chose à ce que les moines récitaient. Pourtant, il était impressionné par les chants des religieux, et par la beauté toute simple de l'église. Les paroles résonnaient et semblaient voyager d'un coin à l'autre de l'édifice. Le jeune garçon n'avait jamais entendu quelque chose d'aussi étrange...

Il ferma les yeux et se laissa bercer par la mélodie.
Maître Albéric, lui, semblait préoccupé. Il inspectait les lieux d'un regard perçant, comme s'il cherchait quelque chose...
Lorsque les vêpres furent terminées, les deux visiteurs allèrent aux cuisines prendre un bon repas. Ils gagnèrent ensuite la cellule que les moines leur avaient préparée pour la nuit.

Page 14 ↙

Comme on peut le voir à la page 9, l'intérieur de l'église est aujourd'hui équipé de simples bancs en bois. Au Moyen Âge, l'aménagement était différent, mais personne ne peut dire avec certitude à quoi il ressemblait. On pense généralement que les moines prenaient place sur des stalles : des sièges accolés comme ceux que l'on voit dans le dessin. Sur la position de ces stalles dans l'église, les avis diffèrent. J'ai choisi une disposition qui laisse beaucoup de place au vide et à l'espace, qui sont très importants dans l'esprit cistercien.

Page 18 (image page suivante ↗)

Le cloître du Thoronet est au centre d'un débat d'historiens. En effet, on sait qu'il y avait une deuxième galerie couverte à l'étage du cloître, au moins sur le côté est. Pour certains, cette deuxième galerie a toujours existé. Pour d'autres, elle est le résultat de travaux réalisés plus tard au Moyen Âge. Aujourd'hui, elle n'existe plus : elle a été supprimée lors des premières restaurations. À sa place, on trouve une terrasse horizon-

Le garçon se trouvait dans le cloître, sorte de cour intérieure garnie d'un jardinet. Ce jardinet était entouré d'une galerie couverte. C'est par cette galerie que les moines se rendaient d'un endroit à l'autre de l'abbaye. Mais à cette heure de la nuit, elle était déserte.

«Ils dorment tous à poings fermés», se dit Ernaud pour se rassurer.

Il repoussa sa corde dans un coin du mur pour la cacher et se dirigea vers l'*armarium*...

À peine avait-il fait trois pas qu'un long grincement se fit soudain entendre juste derrière lui.

Il se retourna et vit une lueur apparaître dans un angle de la galerie...

Le cœur battant, il s'engouffra dans un étrange petit édifice qui se dressait près de lui...

tale garnie d'une balustrade. Celle-ci a été aménagée pour permettre l'accès des visiteurs...

Faire descendre Ernaud le long de sa corde sur deux étages me semblait un peu exagéré. J'ai donc choisi le camp de ceux qui disent que la deuxième galerie n'existait pas à l'origine. Je me suis inspiré d'un autre cloître cistercien: celui de l'abbaye de Silvacane, près d'Aix-en-Provence, qui présente une terrasse inclinée, sans balustrade.

Pour la partie située derrière le bâtiment de la fontaine, j'ai choisi de reproduire son aspect d'aujourd'hui, de manière à voir les collines. Mais au Moyen Âge, l'aile nord du cloître cachait le paysage. Malheureusement, cette aile ayant disparu, on ne sait pas à quoi pouvaient ressembler les toits à cet endroit...

Page 25 ↘

Le scriptorium se trouvait dans cette partie disparue. Celle-ci semble être tombée en ruine assez tôt, peut-être alors que les moines occupaient encore le monastère.

L'illustration de cette page est donc basée sur des salles qui ont été conservées dans les abbayes sœurs de Sénanque et Silvacane. Quant aux pupitres, ils sont fidèles à un modèle du Moyen Âge, trouvé dans un ouvrage spécialisé.

Ces exemples pourraient être bien plus nombreux.

J'ai voulu les donner pour montrer à quel point notre connaissance du passé est incertaine. Le travail des historiens est souvent remis en question par les nouvelles découvertes. De la même manière, les informations que nous considérons comme exactes aujourd'hui seront peut-être déclarées fausses par les chercheurs de demain.

L'Histoire évolue sans arrêt, et il faut accepter notre ignorance dans certains domaines. Ce livre présente donc une possibilité de reconstitution parmi d'autres...

Elle donnait sur une vaste salle, où s'alignaient des pupitres. Malgré l'heure matinale, un jeune moine était déjà au travail.

«Je suis dans le *scriptorium*!» songea Ernaud en se remémorant le plan de maître Albéric.

C'était l'atelier où les moines recopiaient les livres. Ils copiaient des ouvrages religieux, mais aussi des textes de poésie, d'astronomie, d'histoire... Ils traduisaient des livres grecs et arabes. Les ouvrages copiés étaient vendus, ou allaient enrichir l'*armarium* de l'abbaye.

Un pinceau à la main, le moine recopiait avec soin le livre qui était ouvert devant lui. Il avait à sa disposition toute une série de petits outils ainsi que des pots garnis d'encres de couleur. Une lampe à huile l'éclairait.

«Ce n'est pas par là que je pourrai sortir», se dit Ernaud.

Il referma la porte. Le moine, absorbé par son travail, n'avait même pas remarqué ce curieux visiteur.

Bibliographie :

Pouillon, Fernand «Les pierres sauvages», Éditions du Seuil, 1964, Paris.

Davy, Marie-Madeleine «Initiation à la symbolique romane», Flammarion, 1977 Paris.

Eco, Umberto «Le nom de la rose», Grasset, 1982 Paris.

Favier, Jean (sous la direction de) «La France médiévale», Librairie Arthème Fayard, 1983 Paris.

Pressouyre, Léon «Le rêve cistercien», Gallimard, 1990, Paris (coll. «Découvertes»).

Manguel, Alberto «Une histoire de la lecture», Actes Sud (coll. «Babel»), 1998.

Molina, Nathalie «L'abbaye du Thoronet» Monum Éditions du patrimoine, 1999.

Erlande-Brandenburg, Alain et Bruant, Nicolas «Trois sœurs cisterciennes en Provence: Sénanque, Silvacane, le Thoronet», Les éditions du huitième jour, 2000.

Dalarun, Jacques (sous la direction de) «Le Moyen Âge en lumière», Librairie Arthème Fayard, 2002, Paris.

Cassagnes-Brouquet, Sophie «La passion du livre au Moyen Âge», Éditions Ouest-France, 2003.

Index